Le triomphe de César

Couleurs : Christophe Araldi
Conception graphique : Valérie Gibert et Philippe Sedletzki

Hachette Livre, 43 quai de Grenelle, 75015 Paris.

Sophie Marvaud

Illustrations : Céline Papazian

Le triomphe de César

Quelque part loin des routes, caché au cœur d'une forêt profonde, se trouve un château très vieux, immense et sombre, appelé :
le Château des Ombres.

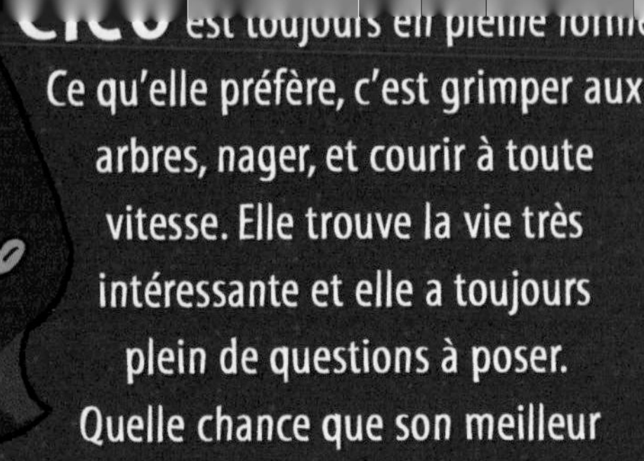

Cléo est toujours en pleine forme. Ce qu'elle préfère, c'est grimper aux arbres, nager, et courir à toute vitesse. Elle trouve la vie très intéressante et elle a toujours plein de questions à poser. Quelle chance que son meilleur ami, Balthazar, ait réponse à tout… ou presque !

Grodof, le chien de Cléo, est un bâtard aussi malin qu'un teckel, aussi rapide qu'un lévrier, aussi costaud qu'un rottweiler et aussi tendre qu'un labrador. Mais il est le seul chien au monde à avoir de longues oreilles pointues, enroulées sur elles-mêmes comme des tire-bouchons.

Balthazar adore réfléchir
comme un détective. Il sait énormément
de choses, grâce à son ordinateur, à la
télé et aux livres. Il déteste se bagarrer,
ou jouer au foot. Mais il accompagne
partout Cléo, sa meilleure amie, parce
qu'avec elle, il est sûr de ne jamais
s'ennuyer !

Chaque soir, au douzième coup de minuit, dans le grand donjon de l'aile nord, apparaissent sept fantômes.

Les enfants attendent avec impatience ce moment magique.

Traînant leur lourd boulet au bout d'une chaîne, les sept fantômes traversent les murs en gémissant. Ils errent dans la salle des gardes, glaciale, et plus sombre que la nuit. En montant l'escalier en colimaçon, ils s'énervent contre le boulet qui les tire en arrière. Au cours de leur vie, ils ont fait une très, très grosse bêtise. Quand ils étaient vivants, cette bêtise les empêchait de dormir.

Maintenant qu'ils sont morts, son souvenir les empêche de s'envoler vers le Pays du Repos Souriant.

De toutes leurs forces,
ils espèrent que quelqu'un
viendra les délivrer…

Un jour, le dernier des sept fantômes dépose au bas de l'escalier **UNE PETITE PIÈCE DE CUIVRE**.

Les enfants s'en approchent... Et ils sont transportés au cœur d'une incroyable aventure…

Chapitre 1

Un accident de char

— Qui a osé gâcher la plus belle journée de ma vie ? s'écrie le septième fantôme, l'air très mécontent.

Grand et mince, il est vêtu d'une toge romaine. Il porte

sur la tête une couronne de laurier. Balthazar est très impressionné :

— Mais… c'est Jules César !

Il a reconnu son long nez, son menton volontaire, ses courts cheveux frisés.

— J'étais l'homme le plus important de Rome, dit le fantôme avec fierté. Un général toujours victorieux, aimé de mes soldats et aussi du peuple. Et pourtant, j'ai été ridiculisé devant tous les Romains, le jour de mon triomphe !

— C'est quoi un triomphe ? demande Cléo.

— Une très grande fête donnée par un général romain après ses victoires, lui explique Balthazar.

Pendant qu'il parle, quelque chose tombe dans l'escalier avec un bruit métallique. Ce

sont plusieurs petites pièces de cuivre, appelées sesterces. Elles représentent une couronne de laurier, autour d'une phrase en latin : *veni, vidi, vici.*

— On dirait une formule magique, dit Cléo en attrapant une pièce.

Aussitôt, elle est emportée loin du Château des Ombres... Et elle se retrouve à Rome, sur le Forum, une très grande place pavée de grosses pierres, décorée de colonnes et de statues.

Une foule immense et

joyeuse s'y presse. Des soldats leur distribuent des sesterces.

— Vive Jules César ! crient les gens avec enthousiasme.

— Il a vaincu la Gaule !

— Et l'Égypte !

— Et la Numidie !

— Et le royaume du Pont !

— La Numidie est en Afrique du Nord, et le Pont en Turquie, dit Balthazar qui a rejoint Cléo.

Il porte une toge et un bijou en or en forme de bulle, qui porte bonheur. Elle est vêtue d'une tunique longue, retenue aux épaules par deux jolies broches en or.

Devant eux, le futur fantôme monte dans un char doré, tiré par quatre magnifiques chevaux blancs. Un jeune conducteur tient les rênes. Des musiciens sonnent dans des trompettes pour annoncer le début du défilé.

Mais au moment où le char démarre, l'une des roues se détache ! Il se renverse et Jules César est projeté sur le sol !

Sa couronne de laurier est tout abîmée mais lui n'est pas blessé. Il se

relève aussitôt. Pourtant, la foule est effrayée par ce mauvais présage et se met à crier :

— Les dieux sont mécontents !

— Jules César est trop orgueilleux !

— De terribles malheurs vont s'abattre sur Rome !

— Ils étaient si joyeux il y a deux minutes, s'étonne Cléo.

— Les Romains sont très superstitieux, lui explique Balthazar. Ils croient que leurs dieux savent à l'avance tout ce qui va arriver aux humains. Et qu'ils leur envoient des messages pour les prévenir.

Furieux, mais obligé de cacher sa colère, Jules César prend la parole d'une voix forte :

— Peut-être suis-je trop orgueilleux, en effet. Je vais demander pardon aux dieux.

Il s'avance vers un temple tout proche,

précédé d'une esplanade avec une vingtaine de marches. Il commence à les monter à genoux.

Cléo et Balthazar sont les seuls à voir et à entendre son fantôme, qui reste près d'eux. Celui-ci se fâche :

— Mon triomphe est gâché ! Qui a osé scier la roue de mon char ?

— Ce Jules César n'est pas très sympathique, murmure Cléo à l'oreille de Balthazar. Tu as envie de l'aider, toi ?

— Maintenant qu'on est là, c'est trop tard

pour se poser la question. Le fantôme doit s'envoler vers le Pays du Repos Souriant pour qu'on revienne à notre époque !

— Zut de zut ! J'avais complètement oublié !

Chapitre 2

Un spectacle extraordinaire

Après un petit tour du Forum, Grodof va renifler le char. Des esclaves se dépêchent de le réparer pendant que Jules César poursuit sa montée des marches à genoux.

Les enfants, eux, sont bousculés de tous les côtés. Bientôt, ils ne voient plus ni le char, ni le général.

— Je me demande comment on va retrouver les coupables dans cette foule, dit Cléo.

— Difficile mais pas impossible, dit le fantôme. Prenez exemple sur moi : en Égypte, j'ai vaincu le Pharaon alors que mon armée était beaucoup plus faible que la sienne !

— Nous allons faire de notre mieux, lui promet Balthazar.

Grodof revient vers

eux en agitant les oreilles, l'air de dire : « Suivez-moi. » Aboyant de temps en temps pour que les gens s'écartent, il guide les enfants vers un côté de la place.

Là, un grand bâtiment de pierres blanches est en construction. C'est la basilique Julia, un palais de justice. Grodof se faufile à l'intérieur, suivi par les enfants.

— C'est sombre, là-dedans, souffle Balthazar en frissonnant.

— Et ça résonne! chuchote Cléo.

La main sur le collier de Grodof, les enfants traversent à tâtons une pièce vide qui leur paraît immense.

Enfin, voilà de la lumière! Elle provient d'un escalier vaste et droit. Il mène sur une terrasse qui domine la ville.

— Formidable ! Merci, Grodof!

Les enfants courent jusqu'à la balustrade. À leurs pieds, ils découvrent un incroyable spectacle: derrière le char

de Jules César, se met en place un défilé gigantesque.

D'abord, viennent des taureaux blancs, aux cornes recouvertes d'or. Ils vont être offerts en sacrifice aux dieux. Ensuite, des éléphants, des girafes et une maquette géante du phare d'Alexandrie montrent que les pays conquis sont lointains et extraordinaires. Des chariots exposent les trésors

et les armes volés aux vaincus. Les princes, princesses et généraux prisonniers marchent derrière, les mains attachées.

Toutes les légions de César sont rassemblées pour participer au défilé, c'est-à-dire

des dizaines de milliers de soldats. Des centaines de milliers de spectateurs attendent le long d'une rue appelée « Voie Sacrée ».

— Tu as vu le monde qu'il y a ? J'ai le tournis, dit Balthazar.

— Moi aussi. J'espère que Jules César n'a pas trop d'ennemis ! s'exclame Cléo.

— Au moins tous les habitants des pays conquis... Mais ne t'inquiète pas. Pour notre enquête, nous allons commencer par le commencement.

— C'est-à-dire ?

— Le char, bien

sûr. Où était-il rangé avant le défilé ? Et qui l'a préparé, ce matin ? Tu peux essayer de retrouver sa trace, Grodof ?

— Ouaf ! répond le chien avec assurance.

Les enfants dévalent l'escalier et sortent de la basilique. En suivant Grodof, ils traversent le Forum et franchissent l'une des portes de la ville. De l'autre côté, sur le flanc d'une colline, s'étend le camp des soldats de Jules César.

Chapitre 3

Dans le camp romain

Un bataillon de soldats sort d'un pas rythmé pour aller participer au défilé. Les tuniques rouges sont toutes propres, les armures et les casques bien nettoyés.

Après le passage du dernier soldat, les enfants et leur chien se glissent dans le camp, où il n'y a plus personne.

— Ça va être dur d'interroger un témoin, fait remarquer Cléo.

— J'espère qu'on trouvera un indice, dit Balthazar.

Les enfants empruntent la large voie centrale. Le camp est parfaitement organisé, avec des rangées de tentes et des allées qui se coupent à angle droit. Signalée par un drapeau blanc, la tente de Jules César se trouve au centre.

Grodof suit toujours l'odeur du char. Cette piste le mène dans une tente tout en longueur, au sol couvert de paille, avec de l'avoine et des auges pleines d'eau : une écurie.

Le chien s'arrête au milieu de la tente et lève fièrement le museau, l'air de dire : « Le char était là ! » Cléo et Balthazar contemplent la paille, perplexe. Ils la remuent du bout de leurs sandales.

— J'aurais aimé

trouver une scie, soupire Cléo.

Balthazar rigole.

— Le coupable aurait été trop bête de la laisser derrière lui !

— Alors, un peu de sciure ? Mais il est impossible de trouver quelque chose d'aussi fin dans cette paille mêlée de sable.

— Tu as vu, Balthazar ? dit Cléo. J'ai l'impression qu'il y avait plusieurs sortes d'animaux autour du char.

— Comment tu le sais ?

— Ce ne sont pas les mêmes crottins.

Soudain, Grodof se met à gronder. Un centurion entre dans la tente, son glaive à la main.

— Qu'est-ce que vous faites là ? C'est vous qui avez scié la roue du char de Jules César ?

Les enfants échangent un regard paniqué. Ils enquêtent, eux aussi, sur l'accident du char... pour sauver un fantôme ! Mais s'ils lui racontent ça, le centurion ne les croira jamais !

Alors, vite, ils s'enfuient, Cléo à gauche et Balthazar à droite.

Pendant que le centurion Crassus se demande lequel poursuivre, Grodof se jette sur lui. Il mord à pleines dents les jambières métalliques qui protègent ses chevilles. Déséquilibré, l'homme tombe la tête la première dans la paille.

Les deux enfants et le chien se rejoignent devant la tente. Ils courent à perdre haleine pour sortir du camp. Quel soulagement de retrouver la ville ! Et de se cacher dans la foule qui assiste au triomphe !

— Qu'est-ce qu'on fait maintenant ? demande Balthazar.

Devant eux, des chariots défilent, remplis d'objets précieux que les légions de Jules César ont pillés en Gaule.

— Et si on interrogeait Vercingétorix ? dit Cléo. C'est l'un des pires ennemis de Jules César, tu ne crois pas ? Peut-être qu'il a demandé à des Gaulois de scier la roue du char pour se venger...

Derrière les chariots, un homme jeune s'avance, les mains ligotées. Il est encadré par les soldats.

— C'est Vercingétorix... murmure Balthazar, fasciné.

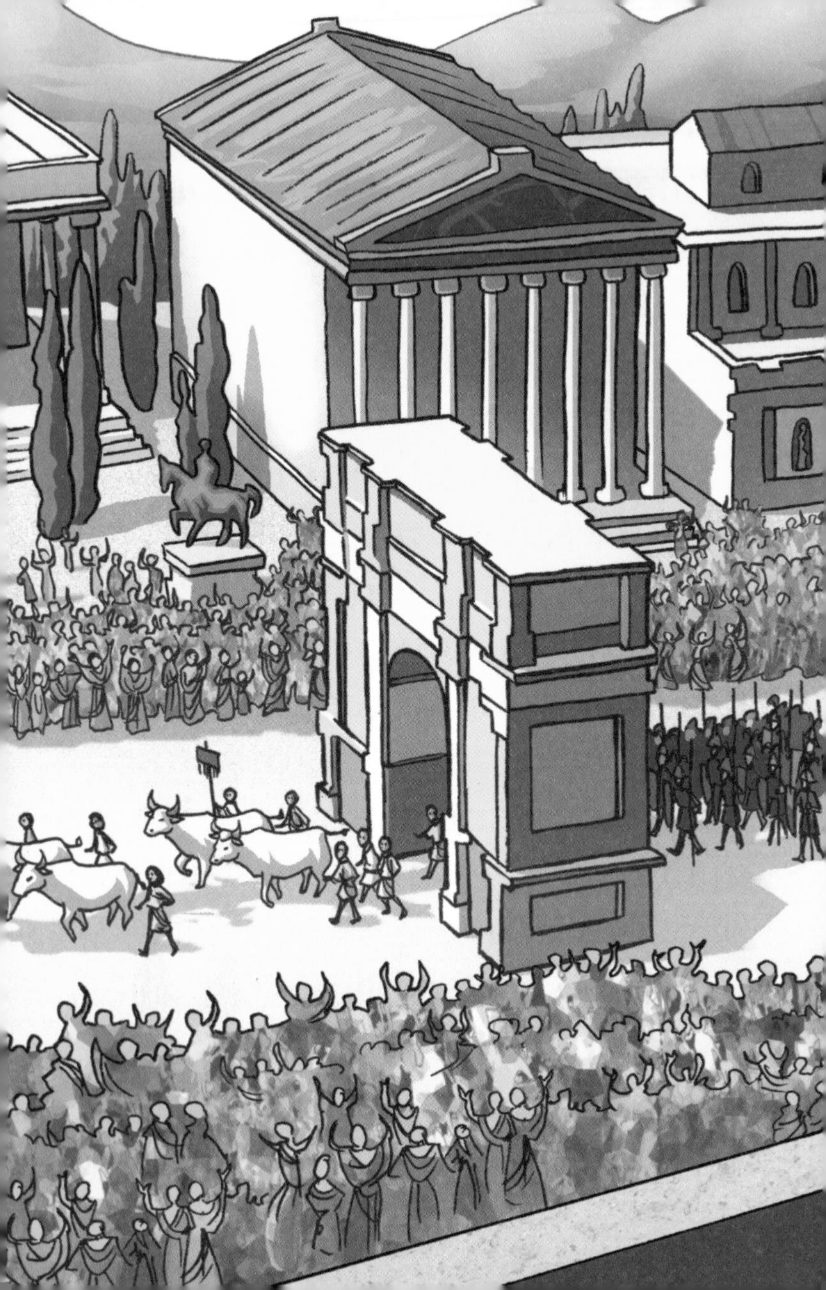

Chapitre 4

Les pires ennemis

Le chef des Gaulois a l'air très fatigué mais il marche avec fierté, la tête haute. Cléo s'approche de lui autant qu'elle le peut malgré les soldats. Elle crie :

— Bravo, monsieur Vercingétorix ! Vous avez été très courageux. Vous avez tenu tête à Jules César. Les Gaulois n'oublieront jamais votre nom !

Un instant, leurs regards se croisent. Puis Vercingétorix s'éloigne.

— Il m'a entendue, j'en suis sûre ! dit Cléo, tout émue. Oh, zut, j'ai oublié de l'interroger…

— Ce n'est pas très grave. Tu as vu comme il était surveillé ? Même si ses amis ont scié la roue

du char, lui ne sait rien, c'est sûr !

— Ce n'est pas un Gaulois qui a fait le coup, assure une voix masculine.

Cléo et Balthazar se retournent. L'homme qui vient de parler est jeune et bien rasé. Il est vêtu d'une tunique à la romaine.

— Qu'est-ce que tu en sais ?

— Je suis gaulois. Je suis venu à Rome vendre les

pots de mon atelier. Alors, je peux vous dire qu'aujourd'hui, la plupart des Gaulois apprécient la paix apportée par les Romains !

— Et les Égyptiens ? demande Cléo. Est-ce qu'ils

sont contents eux aussi d'être dirigés par Jules César ?

— Ça, je n'en sais rien, dit le jeune homme en haussant les épaules.

Après le défilé des Gaulois, voici justement celui des Égyptiens. La foule applaudit les deux girafes et la maquette du phare d'Alexandrie. Cléo et Balthazar regardent attentivement parmi les spectateurs. Est-ce qu'il y aurait un Égyptien parmi eux ?

— Cléo, dit Balthazar, tu sais que Jules César est tombé amoureux de

la reine d'Égypte, Cléopâtre… Essayons de discuter avec ses servantes !

Le fantôme réapparaît au-dessus d'eux. Il semble mécontent.

— Ça ne peut pas être elle, la coupable. Cléopâtre m'aimait, j'en suis certain !

— Si vous êtes si malin, débrouillez-vous sans nous ! lui lance Cléo.

Vexé, le fantôme disparaît. Guidés par Grodof, les enfants longent la Voie Sacrée. Plus loin, sur une estrade, des esclaves à la peau noire agitent des ombrelles en plumes d'autruche. Ils protègent du soleil un adolescent et une belle jeune femme brune, couverts de bijoux en or. Ce sont la reine Cléopâtre et son jeune frère, le pharaon Ptolémée.

— Attends-moi, Balthazar, dit Cléo.

Elle se faufile jusqu'au dernier rang des servantes qui entourent Cléopâtre. Il y a un avantage à être une fille à cette époque : personne ne se méfie de vous !

— Bonjour, chuchote-t-elle. À votre avis, que pensent les Égyptiens de l'arrivée des Romains chez eux ?

Certaines servantes lui lancent un regard noir. D'autres rient discrètement. La plus jeune se penche vers elle.

— Ça ne change pas grand-chose pour nous. Depuis plusieurs siècles, l'Égypte est dirigée par des pharaons grecs !

— Alors les Égyptiens ne détestent pas Jules César ?

— Non. Je crois que les gens importants sont

plutôt flattés qu'il soit amoureux de leur reine. Les paysans ne voient pas la différence.

Cléo remercie les servantes et part donner ces explications à Balthazar.

— Pas possible ! s'étonne son ami. Jules César a moins d'ennemis que je le croyais !

Chapitre 5

Escalade à la romaine

— César a au moins une ennemie à Rome, dit Cléo : sa femme. Elle ne doit pas être contente qu'il soit amoureux d'une autre femme !

— Tu as raison. Elle

regarde sûrement le défilé, elle aussi. Profitons-en pour visiter sa maison. Nous y trouverons peut-être un indice.

On leur indique une belle demeure un peu à l'écart de la Voie Sacrée. C'est celle de Calpurnia, la femme de César. Ils frappent à la haute porte en bois, mais personne ne vient leur ouvrir.

Soudain, au bout de la rue, surgit le centurion Crassus. En apercevant les enfants et leur chien, il se met à crier :

— Arrêtez-les ! Arrêtez-les !

Heureusement, il n'y a personne dans les parages pour lui obéir. Cléo, Balthazar et Grodof s'enfuient dans la direction opposée. Après avoir tourné dans la rue voisine, ils reprennent leur souffle. Plus personne ne les poursuit.

Cléo revient sur ses pas et passe discrètement sa tête. Le centurion est en train de frapper à la porte de Calpurnia.

— Il est venu l'interroger, comprend-elle.

Comme personne ne lui ouvre, il s'en va. Rassurés, les enfants retournent vers la belle maison. Aucune fenêtre ne donne sur la rue. Une deuxième porte semble conduire à un jardin intérieur, mais elle est fermée à clef.

— Il n'y a plus qu'une solution : l'escalade, dit Balthazar.

— Chouette ! Mais tu as vu comme les murs sont hauts ?

— J'ai une idée, tu vas voir…

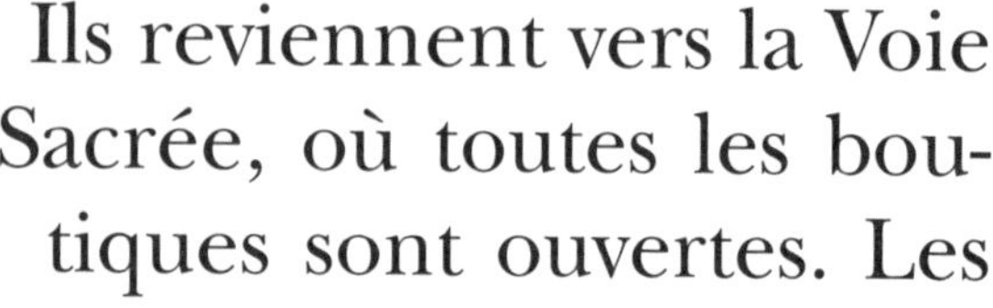

Ils reviennent vers la Voie Sacrée, où toutes les boutiques sont ouvertes. Les

passants se bousculent pour acheter des boissons, des figues, du raisin, des pommes, du pain, des souris grillées, des gâteaux au miel et au thym.

Balthazar sort de sa poche quelques sesterces et s'approche d'un marchand. Il désigne des récipients en terre cuite de forme allongée, avec des anses.

— Bonjour, monsieur. Je voudrais la jarre la plus grande de votre boutique.

Celui-ci fronce les sourcils.

— Une jarre d'eau, de vin ou d'huile d'olive ?

— Vous n'en auriez pas une vide, s'il vous plaît ? Ce qui compte, c'est qu'elle ait un fond plat.

Le marchand éclate de rire.

— Tu es un rigolo, toi !

Mais il trouve exactement ce qu'il lui faut. Cléo et Balthazar attrapent chacun une anse de la jarre. Ils la portent jusqu'à la maison de Calpurnia.

Dans la ruelle, ils posent la jarre contre la porte du jardin. Avec précaution, Balthazar grimpe dessus. Cléo monte sur le dos de Grodof, puis sur les épaules de Balthazar. Hourra ! Elle peut atteindre le haut de la porte !

Là, il y a un espace étroit entre la porte et le mur. Cléo réussit à s'y faufiler. Elle se laisse glisser et atterrit sur les mains de l'autre côté.

Vite, elle ouvre le verrou. Grodof et Balthazar se préci-

pitent à l'intérieur du jardin.

— Qui êtes-vous ? demande une voix d'enfant. Des voleurs ?

Ils sursautent. Une fillette se tient dans l'ombre du péristyle, la galerie ouverte qui entoure le jardin. Elle porte une tunique toute simple mais soignée, la tenue d'une esclave de famille riche.

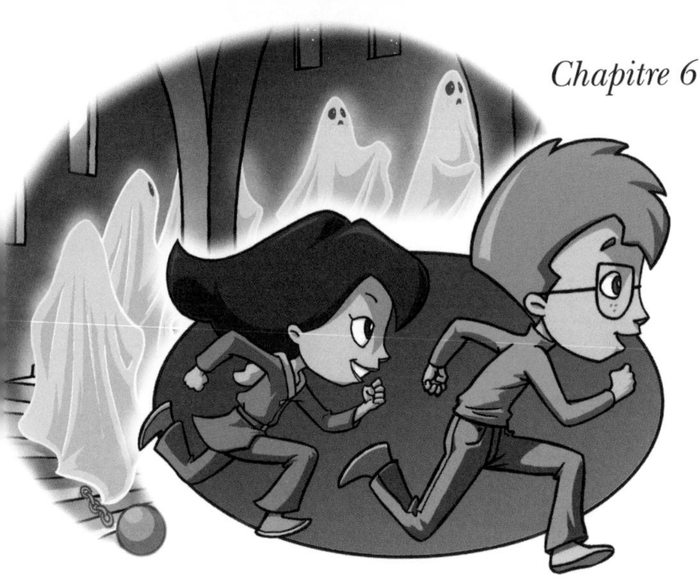

Chapitre 6

Chez la femme de César

— Nous ne sommes pas des voleurs ! explique Cléo pour rassurer la jeune esclave. Nous voulons parler à Calpurnia. Nous avons frappé mais personne ne nous a répondu.

— Bien sûr ! Qui voudrait rater le défilé ?

— Et toi ?

— Je suis malade. J'ai trop de fièvre pour sortir.

— Pas de chance ! Heureusement que tu vis dans une belle maison.

— C'est vrai. Vous voulez la visiter ? Je m'ennuie tellement toute seule ! Je m'appelle Flavia.

Quittant le jardin, les trois enfants entrent dans une première pièce, avec plusieurs lits. Elle est très joliment décorée de mosaïques, de toutes

petites pierres colorées qui forment de vrais tableaux.

« Une chambre », pense Cléo.

— La salle à manger, annonce Flavia.

Discrètement, Balthazar explique à son amie étonnée :

— Les riches Romains mangeaient allongés sur des lits.

Ils entrent ensuite dans l'atrium, la pièce centrale de la maison. Elle n'a pas de fenêtre mais elle est ouverte

sur le ciel. Un bassin y recueille l'eau de pluie qui s'écoule des toits.

— C'est l'endroit que je préfère, dit Flavia. Il y fait tellement frais en été ! Et maintenant, voici la chambre de ma maîtresse, Calpurnia.

La pièce n'est pas grande

et il n'y a pas beaucoup de meubles. Sur une petite table, sont disposés toutes sortes de pots et d'épingles.

— C'est là que je la coiffe et la maquille.

— Et toi, tu dors où ?

— Au sous-sol, bien sûr. Avec les autres esclaves.

« C'est sûrement un endroit sinistre, pensent Cléo et Balthazar. Pauvre Flavia ! »

— Est-ce que les esclaves sont contents des victoires de Rome ? demande Balthazar.

— D'habitude, ils s'en fichent. Mais pour son

triomphe, Jules César leur offre des spectacles extraordinaires et même un banquet géant. Tout le monde a le droit d'en profiter ! Alors, ils sont contents.

Le fantôme réapparaît quelques secondes aux yeux de Cléo et Balthazar, juste le temps de dire :

— Vous voyez bien ! Je suis un général très aimé !

Chapitre 7

Esclaves et sénateurs

Flavia leur montre ensuite la cuisine, une pièce de petite taille. Elle contient une cuisinière à bois et un évier. Les toilettes sont juste à côté, car c'est là qu'on jette l'eau sale.

— Je préfère les maisons de notre époque, souffle Cléo à l'oreille de Balthazar.

— Moi aussi ! À Rome, les gens riches pouvaient vivre dans ce genre de maisons parce qu'ils avaient beaucoup d'esclaves. Et l'esclavage, c'est horrible. Les gens sont traités comme des objets.

Ils reviennent dans l'atrium. Balthazar repère un petit meuble, sur lequel sont posées des statuettes. Elles représentent les ancêtres et les dieux lares, protecteurs des familles. Des offrandes de vin

et d'encens ont été placées devant.

— Est-ce que Calpurnia se fait du souci pour son mari? demande-t-il.

— Oh oui, beaucoup! assure la jeune servante.

— Elle n'est pas fâchée qu'il soit amoureux de Cléopâtre?

— Non, ils s'entendent plutôt bien.

— Je trouve ça bizarre, dit Cléo.

— Ah bon? s'étonne Flavia. Calpurnia était adolescente quand elle s'est mariée. Son époux est beaucoup plus âgé qu'elle. Elle l'admire mais elle n'a jamais été amoureuse de lui.

— Elle n'est pas son ennemie, alors?

— Pas du tout! D'ailleurs, Calpurnia dit souvent que les vrais ennemis de Jules César, ce sont les sénateurs qui dirigent Rome.

— Bien sûr! s'exclame Balthazar. J'aurais dû y penser plus tôt!

Les enfants remercient

Flavia et lui souhaitent une bonne guérison. Puis ils quittent la maison avec Grodof.

Ils reviennent vers le Forum. C'est là que se trouve la Curie, la salle de réunion des sénateurs, une belle pièce ronde tout en marbre. Quelques hommes y sont malgré la fête. Les enfants et le chien se cachent derrière une colonne pour écouter.

— Je refuse de participer à ce triomphe ! dit l'un des sénateurs. On

trompe le peuple de Rome. Jules César a vaincu autant de généraux romains que de chefs étrangers.

— Il a raison, murmure Balthazar à l'oreille de Cléo.

— Je suis sûr qu'il veut devenir roi, dit un autre. C'est la fin de notre république !

— Une république très

différente de la nôtre, ajoute Balthazar à voix basse. Seuls les hommes riches avaient du pouvoir.

— Moi aussi je déteste Jules César, dit un troisième. J'ai bien ri, ce matin, quand il est tombé de son char. Mais je veux quand même assister à la bataille navale. Cette invention est tellement géniale !

Cléo et Balthazar apprennent que le défilé est interrompu jusqu'à la nuit. Toute la ville se rassemble maintenant de l'autre côté du Tibre, la rivière qui traverse Rome. Des navires vont s'affronter sur un bassin géant !

— Allons-y, dit Balthazar à Cléo. Tomber de son char n'empêchera jamais Jules César de devenir roi ! Alors, à mon avis, ce n'est pas un sénateur qui a scié la roue. Ils vont s'opposer à lui de manière plus brutale...

— D'ailleurs, le vrai coupable va assister à la bataille navale comme tout le monde.

— Au milieu de centaines de milliers de personnes ! soupire son ami.

Les enfants et leur chien sortent de la Curie. Ils suivent la foule. Celle-ci franchit le Tibre sur un long pont de pierres et s'installe sur des gradins en bois, autour d'un bassin gigantesque.

Sur l'eau, se déplacent plusieurs galères. Ce sont de grands bateaux à voile et à rames, qui transportent des groupes de soldats romains.

— Ils vont faire semblant de se battre ? demande Cléo à voix haute.

— Pas du tout, répond son voisin, un homme avec un gros

ventre. Ils vont se battre pour de vrai. Ce sont des esclaves et des condamnés à mort déguisés en soldats. Les vainqueurs auront la vie sauve et les meilleurs combattants seront libérés.

Cléo tire Balthazar par sa toge.

— C'est trop horrible. Je ne veux pas voir ça. Tu viens ?

— Tiens, tiens, comme on se retrouve, dit une voix derrière eux. Vous courez vite, gamins, mais là, vous êtes coincés.

C'est de nouveau le centurion Crassus!

— Attrapez-les, ordonne-t-il aux gens qui les entourent. Ordre de Jules César!

Chapitre 8

Sauvés !

En quelques secondes, Cléo et Balthazar sont immobilisés par leurs voisins. Le centurion leur ligote les mains et les entraîne dehors.

— Vous vous trompez, lui

assure Balthazar. Nous ne sommes pas coupables.

— C'est ce que disent tous les coupables, ricane le centurion. À part les pies voleuses, bien sûr…

Cléo s'arrête net et pousse un cri :

— Je sais qui a abîmé le char de César !

— Une pie ? se moque Crassus.

— S'il vous plaît, monsieur, allons au camp militaire !

Il hausse les épaules.

— Si vous ne m'écoutez pas, vous allez vous ridiculiser, insiste-t-elle.

Parce que votre enquête ne mènera nulle part !

Le centurion hésite, se gratte la tête... et finit par céder.

Un peu plus tard, les voilà devant le camp. Grâce à la présence du centurion, on les laisse entrer. Des soldats s'affairent pour préparer la suite du défilé, qui reprendra pendant la nuit, à la lueur des torches.

Cléo conduit Balthazar, Grodof et Crassus dans l'écurie. Le char s'y trouve de nouveau, entouré des quatre chevaux blancs, des éléphants et des girafes du défilé.

— Détachez-moi, demande Cléo au centurion. Je ne m'enfuirai pas, puisque vous tenez mon ami.

Il accepte en grommelant. Elle s'approche de l'éléphant le plus proche du char.

— Bonjour, toi. Ne t'inquiète pas, je viens juste te saluer.

L'éléphant tourne

sa tête vers elle. Elle continue de lui parler d'une voix douce. Pour faire sa connaissance, il tend sa trompe vers elle et lui ébouriffe les cheveux.

— Tu me chatouilles, dit-elle en riant.

Elle lui tend la main. Il pose sa trompe dedans. Ils se disent bonjour.

— Ravi de te connaître. Tu es un éléphant très sympathique.

Ensuite elle revient vers le centurion

et Balthazar. Elle ouvre la main. Une fine poussière d'or s'est déposée dedans.

— Cet éléphant n'est pas un ennemi de César, explique-t-elle. Il a juste voulu s'amuser avec le char rangé près de lui. Et il l'a secoué un peu trop fort !

— Bien deviné, Cléo ! s'exclame Balthazar avec admiration.

— Je veux une preuve, grogne le centurion.

Mais le fantôme de César surgit :

— Moi je te crois, Cléo. Dire que cet

ennemi inconnu était un éléphant !

Il éclate de rire, avant de disparaître vers le Pays du Repos Souriant. Alors, tout se met à tourner autour des enfants et de Grodof : le centurion têtu, l'éléphant joueur, le camp des soldats romains.

Dans la salle des gardes, Cléo sort de sa poche l'un des sesterces.

— Tu comprends ce qui est écrit dessus, Balthazar ?

— Ça veut dire : « Je suis venu, j'ai vu, j'ai vaincu. » C'est ce qu'a dit Jules César après avoir conquis le royaume du Pont. Il n'était pas très modeste !

— Et puis n'oublions pas qu'il ne pensait qu'à se battre et à envahir d'autres pays ! ajoute Cléo. Faire souffrir les autres ne le dérangeait pas.

Quelque part dans le Château des Ombres, l'horloge invisible sonne… treize coups ! Dans la salle des gardes, les enfants bâillent à s'en décrocher la mâchoire. Il est vraiment temps d'aller se coucher.

FIN

Bientôt, Cléo, Balthazar et Grodof vivront une nouvelle aventure merveilleuse. Ils voleront au secours du fantôme d'un mousse de Christophe Colomb…

La momie du Pharaon

Le trésor de Barbe-Jaune

Le tournoi maudit

Le silex magique

La surprise du Roi-Soleil

Les jumeaux de Pompéi